Tha an leabhar seo
mu Thopsy is Tim le

_____

Topsy + Tim

agus na Smàladairean

Jean agus Gareth Adamson

LINDSAY PUBLICATIONS

Air fhoillseachadh ann an 2000 le
Lindsay Publications,
PO Box 812,
Glaschu G14 9NP

Air ullachadh dhan chlò le
Creative Imprint Ltd www.creativeimprint.co.uk

A' Ghàidhlig le Iain MacDhòmhnaill

Air fhoillseachadh an toiseach sa Bheurla le Ladybird Books Ltd

Air a chlò-bhualadh san Eadailt

Chuidich Comhairle nan Leabhraichean am foillsichear le cosgaisean an leabhair seo.

Bha Topsy agus Tim a' falbh dhan sgoil
còmhla ri Mamaidh aon mhadainn nuair
a chual' iad einnsean-smàlaidh a' tighinn.

Dh'fhalbh e seachad cho luath, fuaim
aig an dùdach agus solais ghorma air!
Stad an trafaig eile is leig iad seachad e.
Bha fhios aca gu robh cabhag mhòr
air na smàladairean, is iad a' dol gu teine.

''S e smàladair a th' ann an Dadaidh
Kerry,' arsa Topsy. ''S dòcha gu bheil
esan anns an einnsean-smàlaidh sin.'

Ach cha robh athair Kerry ann idir.
Cha robh e ag obair a' mhadainn sin,
is bha e a' dol dhan sgoil le Kerry.
Dh'inns Topsy is Tim dha mun einnsean
a chunnaic iad a' dol seachad.
'Bha an dùdach a' dol,' thuirt iad,
'agus bha na solais ghorma air.'

'Faodaidh a h-uile duine tighinn dhan stèisean-smàlaidh agamsa Disathairne seo tighinn,' thuirt Dadaidh Kerry riutha. 'A bheil sibh airson tighinn?' Thuirt Topsy is Tim gu robh gu dearbha, agus nuair a thàinig Disathairne dh'fhalbh an dithis aca còmhla ri Mamaidh.

Bha tòrr chloinne anns an stèisean.
Bha na smàladairean is clogadan buidhe
orra, is iad a' sealltainn rudan
dhan chloinn. Cha b' fhada gus am faca
Topsy is Tim Kerry is Dadaidh aice.

Bha Kerry a' feitheamh ri dhol suas
air àradh mòr, agus bha Topsy is Tim
airson a dhol suas cuideachd.
Chaidh iad a-steach do chèidse
aig ceann an àraidh. Thug fear
dhe na smàladairean dhaibh clogadan
a chuireadh iad air an ceann. Bhiodh iad
na bu shàbhailte leis na clogadan.

Bha an smàladair còmhla
riutha. Bha iad deiseil!
Thòisich an t-àradh
air a dhol suas.

Dh'fhàs an t-àradh na b' fhaide
's na b' fhaide, agus chaidh e na b' àirde
's na b' àirde. Bha na daoine shìos fodhpa
a' coimhead cho beag!
'O àradh mar seo,' ars an smàladair,
'bidh sinn a' dòrtadh uisge ann am
pìoban air togalaichean a bhios nan teine.'
'Is bidh sibh a' toirt dhaoine a-mach
air uinneagan is a-nuas far mullaichean
thaighean cuideachd,' thuirt Kerry.

Nuair a thill iad a-nuas, cheannaich
Mamaidh clogad beag smàladair
dhan triùir aca. 'Tha mise mi fhìn
gu bhith nam smàladair
nuair a dh'fhàsas mi mòr,' arsa Kerry.
'An urrainn do nighnean sin a dhèanamh?'
dh'fhaighnich Topsy.
'Cha chreid mi gun urrainn,' thuirt Tim.

'O, 's urrainn gu dearbha!' thuirt an tè
a bha a' reic nan clogadan. 'Tha mise
nam smàladair dìreach mar a tha athair
Kerry. 'S urrainn do bhoireannaich
a bhith nan smàladairean gun teagamh.
Ach feumaidh iad a bhith cho làidir
is cho tapaidh ri fireannaich.'
Agus sheall i gu robh i fhèin làidir -
thog i Tim mar a thogadh smàladair e.

An uair sin thug Dadaidh Kerry iad
timcheall an stèisein. 'Nuair a bhios
teine ann agus a dh'fhònas cuideigin
999,' thuirt e, 'thig fios thugainne
air an uidheam seo. Agus thig guth
a-mach às a' ghlaodhaire seo anns
a' bhalla ag innse dhuinn cò an t-einnsean
a bheir sinn leinn agus càit an tèid sinn.'

'Cluinnidh sinn clagan a' seirm
agus ruithidh sinn chun an einnsein.
Ma bhios sinn shuas an staidhre,
thig sinn a-nuas pòile. Tha sin
nas luaithe na ruith a-nuas an staidhre.'

Thog Dadaidh Kerry a' chlann a-staigh
a bhroinn einnsein-smàlaidh. Leig iad
orra gu robh iad a' falbh gu teine.

Ri taobh a' charbaid mhòir sin
bha bhan gu math na bu lugha.
'Carson a tha a' bhan seo?'
dh'fhaighnich Tim. 'Tha a' bhan sin,'
thuirt Dadaidh Kerry, 'làn de rudan
a dh'fheumas sinn nuair a bhios againn
ri daoine a shàbhaladh à càraichean
no à làraidhean a bha ann an tubaist.'

Sheall Dadaidh Kerry dhaibh an tùr àrd
far am biodh na smàladairean
a' fàs eòlach air a bhith ag obair
le àraidhean is pìoban-uisge.
'Nuair a bhios sinn deiseil, bidh sinn
a' crochadh nam pìoban san tùr
gus an tiormaich iad,' thuirt e.

Agus ri taobh an tùir bha rùm
a bha air a bhith na theine.
Thug e tachas dhan t-sròin aca!
'A-staigh an seo,' arsa Dadaidh Kerry,
'bidh sinn a' dèanamh theineachan le ceò
agus an uair sin gan cur às. Feumaidh
aodannan a bhith oirnn is feumaidh
tanca àidhir a bhith againn air ar druim,
no bhitheamaid air ar tachdadh.'

Thug Kerry iad a-steach do rùm
coltach ri rùm ann an taigh sam bith.
Ach bha rudan ann a bha cunnartach.
'Saoil càit am faodadh teine
tòiseachadh?' dh'fhaighnich Kerry.
Chunnaic Tim siogarait ann an sèithear.
'Dh'fhaodadh teine tòiseachadh an siud,'
thuirt e.

Chunnaic Topsy bogsa mhaidsichean
air an ùrlar.
'Dh'fhaodadh pàisde beag an taigh a
chur na theine le maidsichean,' thuirt i.
'Agus bu chòir dhan teasaichear ud
a bhith air cùl geàird,' thuirt Mamaidh.

Thug Mamaidh an aire do rudan
cunnartach eile faisg air stòbha.
'A bheil lorgairean-ceò feumail?'
dh'fhaighnich i do Dhadaidh Kerry.
'Cha chreid mi nach fhaigh mi fear.'

Sheall Dadaidh Kerry dhaibh mar a bha
lorgaire-ceò ag obair. Thug e air
fuaim *blìop-blìop-blìop* a dhèanamh.
'Nam biodh teine a-staigh agaibh aon
oidhche, dhùisgeadh an lorgaire sibh,'
thuirt e ri Mamaidh.
'Tha fear a-staigh againne,' thuirt Kerry.

Bha an t-àm aca a dhol dhachaigh,
ach mun do dh'fhalbh iad, thug Dadaidh
Kerry iad air cuairt timcheall taobh
a-muigh an stèisein air einnsean-smàlaidh
beag. Bha na smàladairean air
a dhèanamh dìreach airson an latha seo.
Bha e sgoinneil, agus chòrd e math
ris a' chloinn!